글을 쓰고 그림을 그린 **앤서니 브라운**은 1946년 영국에서 태어났다.
독특하고 뛰어난 작품으로 높은 평가를 받고 있는 그림책 작가로, 많은 작품이 전 세계에서 출간되어 널리 사랑받고 있다.
〈고릴라〉로 '케이트 그린어웨이 상'과 '커트매쉴러 상'을 받았고, 〈동물원〉으로 두 번째 '케이트 그린어웨이 상'을 받았다.
2000년에는 전 세계 어린이책 작가들에게 최고의 영예인 '한스 크리스티안 안데르센 상'을 받았다.
2009년에는 영국도서관협회와 북트러스트에서 주관하는 영국 계간 아동문학가로 선정되었다.
국내에 출간된 책으로는 그림책 〈앤서니 브라운의 마술 연필〉 〈돼지책〉 〈우리 엄마〉 〈나와 너〉 〈우리는 친구〉 〈고릴라 가족〉
〈미술관에 간 윌리〉 〈앤서니 브라운의 행복한 미술관〉, 자서전 〈앤서니 브라운 : 나의 상상 미술관〉 등이 있다.

글을 옮긴 **홍연미**는 서울 대학교에서 영어영문학을 공부하고 오랫동안 출판 기획과 편집을 했다.
지금은 프리랜서 번역가로 활동 중이다. 옮긴 책으로는 〈앤서니 브라운 : 나의 상상 미술관〉 〈도서관에 간 사자〉
〈동생이 태어날 거야〉 〈호기심 정원〉 〈작은 집 이야기〉 〈말괄량이 기관차 치치〉 등이 있다.

웅진주니어
기분을 말해 봐!
초판 1쇄 발행 2011년 7월 10일 | 초판 14쇄 발행 2020년 2월 20일 | 글 · 그림 앤서니 브라운 | 옮김 홍연미
펴낸이 이재진 | 도서개발실장 조윤경 | 편집인 이화정 | 책임편집 황지영 | 편집 신혜영 | 디자인 천지연
마케팅 이현은, 정지운, 양윤석, 김미정 | 국제업무 김윤경, 남단미 | 펴낸곳 (주)웅진씽크빅 | 주소 경기도 파주시 회동길 20 (우)10881
주문전화 031)3670-1191, 031)956-7325,7065 | 팩스 031-949-1014 | 내용문의 031-956-7404
홈페이지 wjbooks.co.kr/WJbooks/Junior | 블로그 wj_junior.blog.me | 페이스북 www.facebook.com/wjbook | 인스타그램 @woongjin_junior
출판신고 1980년 3월 29일 제406-2007-000046호 | 제조국 중국 | 원제 How do you feel?
한국어판 출판권 ⓒ 웅진씽크빅, 2011 | ISBN 978-89-01-12139-0 · 978-89-01-02697-8(세트)

HOW DO YOU FEEL? by Anthony Browne
Copyright ⓒ 2011 Brun Ltd. | All rights reserved.
The rights of Anthony Browne to be identified as author/
illustrator of this work has been asserted by him in accordance with the Copyright, Designs and Patents Act 1998
Korean language translation copyright ⓒ 2011 by Woongjin ThinkBig Co., Ltd.
This Korean edition was published by Woongjin ThinkBig Co., Ltd.
in 2011 by special arrangement with Walker Books Ltd., London SE11 5HJ through KCC(Korea Copyright Center Inc.), Seoul,
Printed in China.

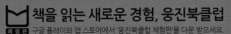

책을 읽는 새로운 경험, 웅진북클럽
구글 플레이와 앱 스토어에서 '웅진북클럽 체험판'을 다운 받으세요.

기분을
말해 봐!

글·그림 앤서니 브라운 | 옮김 홍연미

웅진주니어

기분이 어때?

음, 다 **재미없어.**

가끔은 세상에

나 혼자만 있는 것 같아.

정말 정말 행복할 때도 있어.

슬플 때도 있지만…….

머리끝까지 **화가 날** 때도 있고,

혼날까 봐 걱정이 될 때도 있어.

이게 뭘까 궁금했다가

어, **깜짝 놀랄 때**도 있지.

하늘을 걷는 것처럼 **자신만만하다가,**

숨고 싶을 만큼 부끄럽기도 해.

곰곰이 생각할 때도 있지만,

그보다는 **신이 날** 때가 훨씬 많아!

꼬르륵, 배가 고팠다가……

배가 불러 기분이 좋아지기도 해.

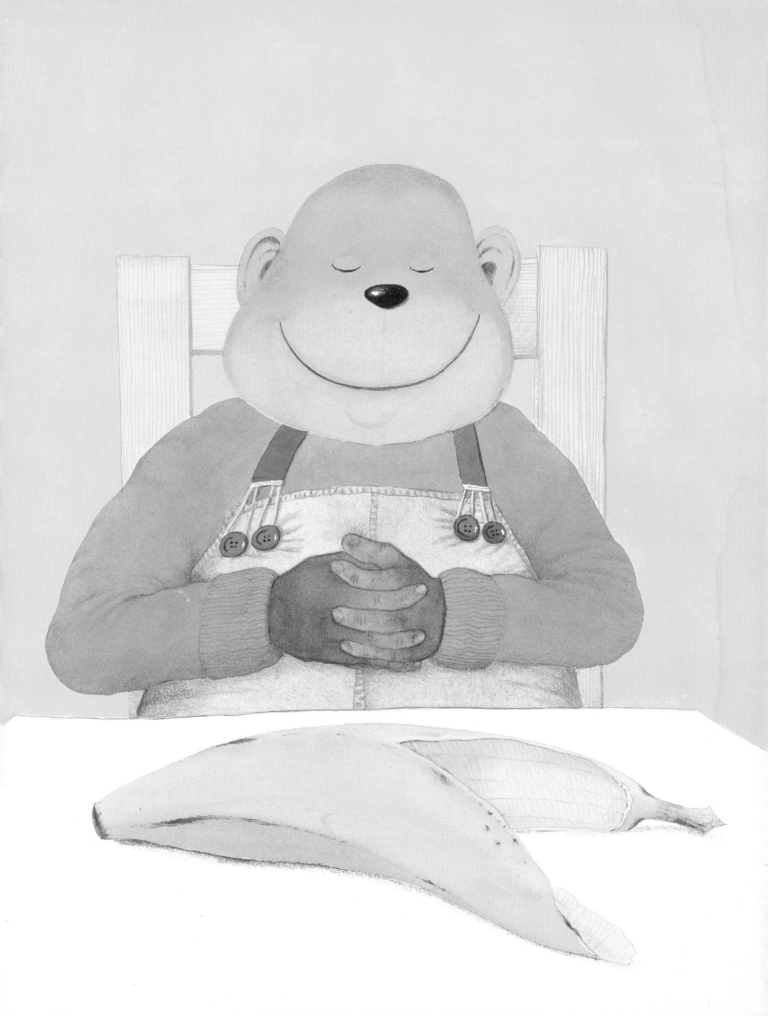

그런데 지금은 졸려.

너는 어떠니?
기분을 말해 봐!

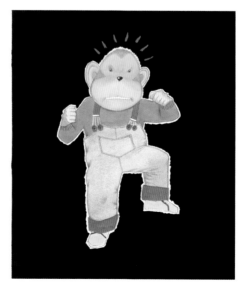

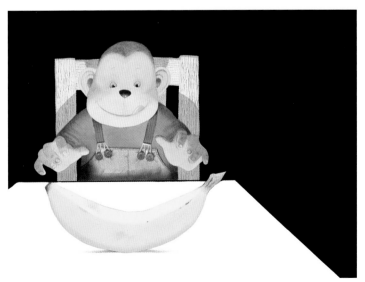